Dere i ymuno â
Clem a Syr Boblihosan ar
eu holl anturiaethau
anhygoel!

I David James Lennon

Perchnennog y sinema orau yn Llundain

Cyhoeddwyd gan Rily Publications Ltd, Blwch Post 257, Caerffili CF83 9FL

Hawlfraint yr addasiad © 2017 Rily Publications Ltd
Addasiad Cymraeg gan Luned Whelan

Hawlfraint y testun a'r darluniau © Alex T. Smith 2015
Cyhoeddwyd fel llyfr clawr meddal cyntaf yn 2015

Cyhoeddwyd yn wreiddiol yn Saesneg yn 2015 o dan y teitl *Claude: Lights, Camera, Action!*
gan Hodder and Stoughton, orgraff o Hachette Children's Group.

Mae cofnod catalog CIP ar gyfer y llyfr hwn yn y Llyfrell Brydeinig.

Dylunio gan Alison Still

Argraffwyd a rhwymwyd ym Mhrydain gan Clays Ltd, St Ives plc.

Mae'r cyhoeddwr yn cydnabod cefnogaeth ariannol Cyngor Llyfrau Cymru.

Mae'r papur a'r cardfwrdd a ddefnyddir yn y llyfr clawr meddal hwn
yn ddeunyddiau ailgylchadwy naturiol wedi eu gwneud
o bren o fforestydd cynaliadwy. Mae'r prosesau cynhyrchu yn
cydymffurfio â rheoliadau amgylcheddol y wlad wreiddiol.

ISBN 978-1-84967-341-9

RILY

www.rily.co.uk

CLEM

a'r Sgrin Fawr

ALEX T. SMITH

Addasiad Luned Whelan

Yn rhif 112 Clos Cynffon,
mae ci o'r enw CLEM yn byw.

Ci ydy Clem.
Ci bach ydy Clem.
Ci bach crwn ydy Clem,
ac mae e'n gwisgo siwmper
smart a beret coch sionc.

beret coch sionc

siwmper smart

Mae Clem yn byw gyda'i
ffrind gorau, Syr Boblihosan,
sy'n hosan ac yn eithaf bobli.

Mae e'n byw gyda Mr a Mrs
Sgidiesgleiniog hefyd.

Bob dydd, mae Clem yn aros
iddyn nhw alw 'Ta-ta tan toc!'
a'i throi hi am y gwaith, yna mae e
a Syr Boblihosan yn mynd am antur.

I ble'r aiff ein ffrindiau ni heddiw …?

Un bore (dydd Iau oedd hi), roedd Clem a'i feret yn yr ardd, ac roedd e'n HYNOD brysur a phwysig.

Roedd Syr Boblihosan yno hefyd – yn gorwedd ar wely haul â chardigan am ei ysgwyddau.

Hwn oedd y tro cyntaf iddo fod
allan o'r tŷ ers wythnos, wedi
iddo ddal annwyd yn ei sawdl.

Roedd Clem wrthi'n brysur ac yn
bwysig yn rhoi ei wisgoedd ffansi
ar y lein i'w sychu.

'Dyna ni!' meddai, a chamu'n
ôl i edmygu ei waith caled.
'Nawr … trît bach!'

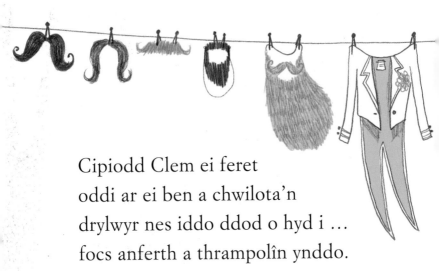

Cipiodd Clem ei feret
oddi ar ei ben a chwilota'n
drylwyr nes iddo ddod o hyd i …
focs anferth a thrampolîn ynddo.

Roedd e wedi cyrraedd yn y post echdoe, yn anrheg gan ffrind oedd yn berchen ar syrcas.

Cododd Clem y trampolîn

a dechrau bownsio.

I fyny ac i lawr â Clem, fry yn yr awyr.

Fflapiodd ei glustiau'n

osgeiddig y tu ôl i'w ben.

'Dere i gael tro!' galwodd Clem ar Syr Boblihosan.

Byddai Syr Boblihosan wrth ei fodd, meddai,
ond roedd e newydd fwyta cacen hufen,
a doedd e ddim am ei gweld eto
yn sgil yr holl chwyrlio.

Daliodd Clem i fownsio.
Gwelai fwy o Glos
Cynffon gyda
phob naid.

Dyna Miss
Cicuchel-Naid
yn wiglo draw
i'r stiwdio
ddawns.

Dyna lle'r oedd
Mr Bynsblasus
yn sbriwsio'i
fyns yn ôl
ei arfer.

A dyna lle'r oedd
gorila anferth mewn
gŵn gwisgo a chrafat
yn yfed paned o de.

GORILA??

MEWN GŴN GWISGO??

YN YFED PANED O DE??

Beth yn y byd oedd gorila anferth
yn ei wneud yng Nghlos Cynffon?

Dawnsiodd aeliau Clem, ysgydwodd
ei bên-ol, a siglodd ei gynffon
mewn cyffro.

Stopiodd Clem fownsio ar
ei union, a rhoi'r trampolîn
i gadw yn ei feret.

'Dwi'n mynd i chwilio am y gorila!' galwodd, wrth fynd nerth ei draed am y drws, a Syr Boblihosan yn sboncio ar ei ôl.

Yn anffodus, yn ei gyffro, daliodd
Clem ei droed yn y lein ddillad a –

TWAAAANNNNGGGGG! –

syrthiodd y cyfan i'r llawr.

'O, drato!' meddai, a stwffio'r holl wisgoedd, y lein a'r pegiau i gyd o dan y beret.

Yna heglodd Clem a Syr Boblihosan drwy'r drws ffrynt, i lawr y grisiau ac allan i'r stryd.

23

Iesgyrn! Roedd y stryd yn llawn bwrlwm. Doedd Clem erioed wedi gweld Clos Cynffon yn edrych fel hyn o'r blaen.

Rhythodd e a Syr Boblihosan
ar y sbotoleuadau enfawr,
y camerâu'n grwnian a'r
meicroffonau mawr fflwfflyd yn
hofran ym mhob twll a chornel.

Wrth i Clem lygadu'r
holl firi, baglodd dros
ddarn o'r lein ddillad oedd
wedi llithro i lawr o'i feret.
Gwnaeth dri tin-dros-ben
a glanio SBLAT BANG
o flaen un o'r camerâu!

Glaniad gwych, meddyliodd – pengliniau plyg, dim simsanu, gwên HYFRYD. Yr eiliad honno, gwaeddod rhywun 'TORRI!' a martsio draw at Clem. Roedd golwg flin arno, er ei fod yn gwisgo het smart ar ongl fach smala.

'Beth *wyt* ti'n ei wneud?'
dwrdiodd y dyn. 'Rydyn ni wrthi'n
saethu ffilm. Rwyt ti newydd
fownsio i ganol golygfa bwysig!'

Stwffiodd Clem y lein ddillad
yn ôl o dan y beret yn chwim,
esmwytho'i siwmper dros ei fol
a dweud 'sori' yn ei lais mwyaf
cwrtais. Roedd y dyn â'r megaffon
i'w weld yn dipyn llai pigog.

'Popeth yn iawn,' meddai, 'ymarfer oedd e. Goronwy Lens-Dew ydw i, a dwi'n cyfarwyddo'r ffilm yma, *Nid Gorila Tila*. Dyma'r prif actorion – Eryl Eilun a Seren Sglein.'

Cyflwynodd Clem ei hun a Syr
Boblihosan. Dywedodd Clem wrth
Seren Sglein ei fod yn hoffi ei
chlustdlysau pendiliog. Cochodd
Syr Boblihosan pan ysgydwodd
Eryl Eilun ei law, ac roedd yn falch
iawn ei fod wedi gwisgo'i gyrlers y
noson gynt.

'A dyma'n gorila godidog,' meddai Goronwy. 'Alun yw ei enw e.'

Safodd y gorila anferth a moesymgrymodd o flaen Syr Boblihosan mewn modd hynod ddramatig.

Roedd yn amlwg ei fod wedi ei hyfforddi yn y dull clasurol.

'Fyddech chi'n hoffi gwylio wrth
i ni ffilmio?' holodd Seren.

Doedd Clem erioed wedi gweld
ffilm yn cael ei saethu o'r blaen.
'Byddai'n fraint!' meddai yn
ei Lais Awyr Agored. Dim ond
unwaith roedd Syr Boblihosan
wedi clywed y llais hwnnw o'r
blaen, ond stori arall yw honna.

'Eisteddwch draw fan 'na,'
meddai Goronwy. 'Mae gyda
ni waith paratoi i'w wneud.'

Felly setlodd Clem a Syr Boblihosan
yn eu seddi i wylio Eryl Eilun, Seren
Sglein a'r gorila yn ymarfer yr olygfa.

33

Roedd y ffilm yn adrodd hanes
gorila anferth oedd wedi dianc
o'r jyngl, ac roedd hwnnw bellach
yn llamu i fyny adeilad a Seren
Sglein yn gwingo yn un o'i ddwylo
enfawr. Roedd rhaid i Eryl edrych
yn olygus ac yn ddewr.

Roedd popeth yn hynod gyffrous.

34

'O'r gorau!' meddai Goronwy o'r diwedd. 'Pum munud o hoe!'

Crwydrodd pawb draw at eu trelars i baratoi ar gyfer ffilmio, a gadael Clem a Syr Boblihosan ar eu pennau eu hunain.

I ddechrau, eisteddod Clem yn
ei sedd a slochian sudd oren.
Bwytaodd Syr Boblihosan fisgeden
ffigys mewn brathiadau mân.

Siglodd Clem ei goesau'n ôl ac
ymlaen am sbel, yna ochneidiodd.

Roedd eistedd ac aros yn ofnadwy
o ddiflas weithiau.

Cyn hir, dechreuodd llygaid
Clem grwydro …

Yna crwydrodd
ei ddwylo …

… ac yn y pen draw,
aeth ei goesau i'w dilyn.

Wrth iddo sleifio'n ôl i'w gadair
ar ôl sesiwn fusnesa benigamp,
llithrodd tamaid o'r lein ddillad
o'i feret unwaith eto.

'Mae hwn yn mynd i achosi damwain ofnadwy,' mwmialodd. Ceisiodd Clem ei stwffio'n ôl i'w feret, ond rywsut, lapiodd ei hun am un o'i draed a …

Asiffeta!

Y tro hwn, doedd glaniad Clem ddim cystal o bell, bell ffordd.

42

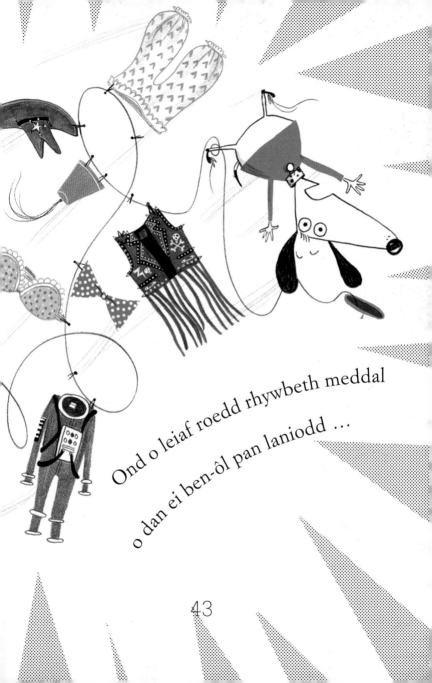

Ond o leiaf roedd rhywbeth meddal

o dan ei ben-ôl pan laniodd …

... bocsaid

mawr

o wigs!

FFILM:
NID GORILA TILA
.WIGS.

Buan iawn y
deallodd Clem
mai gwallt dros
dro yw wig, ac
y galli di wisgo
pa un bynnag yr
hoffet ti ...

Yn ei farn e, roedd wig tonnau
meddal yn gweddu iddo i'r dim.

Penderfynodd
Syr Boblihosan
mai steil anffurfiol
fyddai orau iddo fe.

'Dyna chi!' meddai Goronwy Lens-Dew. 'Ac rydych chi wedi dod o hyd i'r wigs! Ffabiwlys! Wnewch chi helpu'r actorion i'w gwisgo cyn i ni ddechrau ffilmio?'

Bu'r ddau yn helpu'r actorion i wisgo'r wigs mewn modd prysur IAWN a phwysig IAWN.

FFILM:
NID GORILA TILA
.WIGS.

Roedd cwrlen giwt ar dalcen Eryl Eilun. Ac roedd ganddo fwstásh ffug ysblennydd.

Gwisgai Seren Sglein wig golau yn llawn cyrls sbonciog.

Roedd gwallt gosod Alun yn ddigon o ryfeddod.

Y cam nesaf oedd gwisgo colur.

'Mae angen iddyn nhw edrych
yn brydferth ac yn ddeniadol!'
meddai Goronwy drwy'r megaffon.

Roedd Clem yn credu'n gryf
fod coluro'n debyg i liwio llun.
Yn ffodus, roedd ganddo biniau
ffelt, tiwb o lud a photyn o gliter
yn ei feret.

Tra oedd Goronwy'n trafod
bananas gyda'r rhedwr,
dechreuodd Clem ar ei waith ...

Trawiadol oedd yr unig air.

'Ym, ie, hyfryd,'
meddai Goronwy, gyda llai o
frwdfrydedd nag oedd Clem yn ei
ddisgwyl. 'Iawn, gwisgoedd i bawb
a bant â ni …'

Brysiodd yr actorion
ac Alun i'w trelars i
newid eu dillad.

Pan ddaethon nhw allan,
roedden nhw'n edrych fel
pobl hollol wahanol.

Curodd Clem ei bawennau,
a simsanodd
Syr Boblihosan wrth
weld secwins Seren.

'Pawb i'w le!'
galwodd Goronwy,
yna rhoddodd restr o dasgau
i Clem a Syr Boblihosan eu
gwneud yn ystod y ffilmio.

Y dasg gyntaf oedd dal
meicroffon mawr ar
ffon hir, hir. Roedd
yn drwm dros ben,
a siglai Clem o
dan y pwysau.

Bu BRON iddo waldio darn mawr o'r set. Diolch byth bod Syr Boblihosan wrth law i achub y dydd.

Oherwydd y miri, roedd y ddau'n rhy brysur i sylwi bod y lein ddillad wedi dechrau llithro o feret Clem unwaith eto …

Y dasg nesaf oedd dilyn
Alun â'r sbotolau wrth
iddo frasgamu
ar hyd Clos
Cynffon.

Haws dweud na gwneud!
Roedd y lamp mor drwm,
roedd rhaid i Clem gael help
Syr Boblihosan unwaith eto.

Cododd Goronwy ei fawd
ar y ddau ffrind.

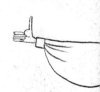

Yn sydyn, aeth Syr Boblihosan
i banig – roedd e wedi colli ei
lensys llygaid yn yr holl halibalŵ.
Defnyddiodd Clem y sbotolau
i chwilio amdanyn nhw. Yna
cofiodd Syr Boblihosan nad oedd
yn gwisgo lensys llygaid o gwbl
– roedd e wedi darllen erthygl
amdanyn nhw mewn cylchgrawn,
ac wedi drysu.

Yng nghanol y strach,
sylwodd neb fod y lein
ddillad yn nadreddu
ar hyd y llawr
erbyn hyn ...

Cyn bo hir, roedd hi'n bryd
saethu'r olygfa olaf fawreddog.
Roedd Seren Sglein ym mreichiau
Eryl Eilun ac roedd e ar fin rhoi
clamp o sws iddi, yna byddai
Alun yn ei chipio, a sgathru i fyny
ochr siop Miss Lemon.

Rhedodd Clem a Syr Boblihosan
yn ôl i'w seddi er mwyn gweld
pob dim.

Ond yn ei frys, welodd Clem ddim
o'r lein ddillad a'i holl wisgoedd
yn sownd wrthi'n llithro allan
o'r beret yn *gyfan gwbl*.

Welodd Clem chwaith ddim
o'r lein yn ymlusgo o gwmpas
goleuadau ac ambell gamera,
ac am draed Seren Sglein ac
Eryl Eilun, cyn clymu ei hun
o gwmpas Goronwy Lens-Dew
a'i fegaffon …

Sylwodd Clem ddim nes ei bod hi'n rhy hwyr.

Plygodd Eryl Eilun dros Seren Sglein i'w chusanu. Wrth i Alun y gorila gydio ynddi, tynnodd y lein ddillad yn dynn, dynn a …

CLEP!
CRAS
CL

Miss Lemon

syrthiodd
goleuadau a chamerâu
bendramwnwgl!
Glaniodd Goronwy
ar ei ben-ôl, a hedfanodd
Seren Sglein ac Eryl Eilun
ar draws y stryd …

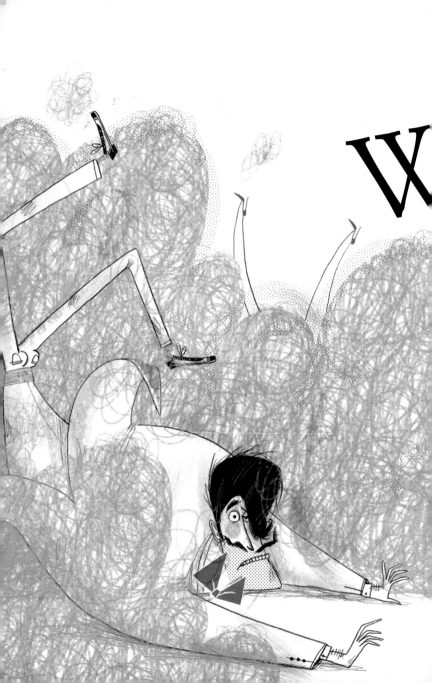

W

FFFFF!

'O, diar …' meddai Clem.

Teimlai Syr Boblihosan
yn benysgafn a bu'n rhaid
iddo chwifio'i ffan.

Pan dawelodd y cyfan, roedd hi'n amlwg nad oedd popeth yn iawn.

Roedd Seren ac Eryl wedi troi eu pigyrnau ac yn gorfod rhuthro i'r ysbyty.

Wrth i bawb fwrw ati i drwsio'r llanast, daeth cri drwy fegaffon cam Goronwy Lens-Dew.

'Be wna i?' llefodd.
'Mae'r ddau brif actor yn
yr ysbyty a does neb i gymryd
eu lle – mae'n drychineb!'

Disgynnodd yn swp i'r gadair
a mynd yn hollol lipa.

Syllodd Clem ar ei draed a ffidlan â hem ei siwmper. Fe oedd wedi achosi'r ddamwain, a nawr roedd e wir eisiau helpu i wella pethau. Ond sut?

Yna cafodd CHWIP o syniad da!

'Gall Syr Boblihosan a fi gymryd eu lle.'

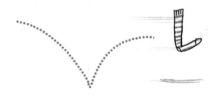

Ochneidiodd Goronwy yn drist.
'Ond dydych chi'n ddim byd
tebyg i Eryl a Seren …'

Gwenodd Clem o glust i glust
ac estyn i'w feret.

'Gewch chi weld!' meddai.

Roedd y trawsnewidiad yn

SYFRDANOL!

'Brensiach y brain!' ebychodd Goronwy Lens-Dew. 'Rydych chi'n UNION yr un fath ag Eryl a Seren – fydd neb ddim callach! Anhygoel! Dewch! Tawelwch! Camerâu'n troi! SAETHU!'

Wel, dyna brynhawn gafodd Clem a Syr Boblihosan …

O NA! ACHUBA I DI!!!

gwaeddodd Clem
yn ei Lais Awyr
Agored gorau,
wrth iddo redeg
o amgylch y set a brasgamu'n
ddramatig.

Ac roedd Syr Boblihosan yn arbennig o dda am smicio'i amrannau, yn enwedig pan oedd Alun y gorila'n codi ofn arno.

A phan achubodd Clem
ddewr Syr Boblihosan
a'i gario'n ddiogel i
lawr yr ysgol, clapiodd
pawb a hwtian eu
gwerthfawrogiad.

Ar ôl i Goronwy weiddi
'TORRI!', trotiodd draw
at Clem a Syr Boblihosan,
gan wenu fel giât.

'Roeddech chi'n
RHAGOROL heddiw!'
meddai. 'Bendigedig!
Pam na ddewch chi i
Goedcelyn gyda ni
a bod yn sêr ffilm
byd-enwog?'

Ond cyn i Clem ei
ateb, daeth sŵn crio
o rywle uwch
eu pennau.

83

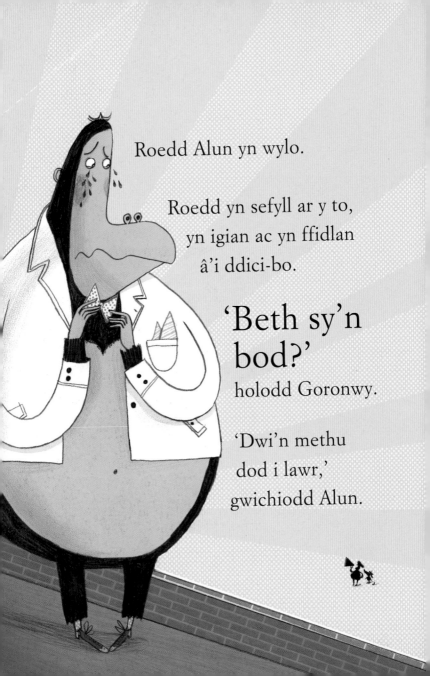

Roedd Alun yn wylo.

Roedd yn sefyll ar y to,
yn igian ac yn ffidlan
â'i ddici-bo.

'Beth sy'n bod?'

holodd Goronwy.

'Dwi'n methu
dod i lawr,'
gwichiodd Alun.

'Defnyddia'r ysgol!'
atebodd Goronwy.

Ond gwrthod wnaeth Alun.

Yr unig beth oedd yn codi mwy o
ofn arno nag uchder oedd dringo
i lawr ysgol.

'O, na!' ebychodd Miss Lemon.
'All fy nghwsmeriaid ddim â dewis
eu datys a mofyn eu mafon â gorila
anferth yn crio uwch eu pennau!'

Roedd hi'n iawn, wrth gwrs,
a dechreuodd Clem feddwl
sut i ddatrys y broblem.

A oedd ffordd o ddenu Alun
i lawr heb godi ofn arno?

Siŵr iawn fod 'na!

'Dere mlaen, Alun!' galwodd Clem o'i drampolín. 'Mae'n lot o hwyl!'

Daliodd i fownsio tra oedd Alun yn shifflan yn nerfus at ymyl y to.

Gwenodd Clem yn garedig a siglo'i gynffon yn galonogol.

O'r diwedd, rhoddodd Alun law
dros ei lygaid, anadlu'n ddwfn a …

Miss Lemon

… neidio!

BOING!

BOING!

'Rwyt ti'n seren ffilm AC yn achubwr gorilas!' gwenodd Goronwy, gan ymuno â Clem ac Alun ar y trampolîn. 'Wyt ti'n siŵr na hoffet ti ddod gyda fi a bod yn actor byd-enwog?'

BOING!

Meddyliodd Clem am ychydig.
Roedd e'n hoffi gwisgo i fyny ac
actio, ond roedd e hefyd yn hoffi
potsian yn y tŷ. Ac roedd wir
angen gorffwys ar Syr Boblihosan
ar ôl helynt y wigs, y secwins
a'r profiad o gael ei drafod gan
gorila anferth.

Eglurodd Clem hyn wrth
Goronwy Lens-Dew. Roedd e'n
siomedig, ond roedd e'n deall.

'Ond RHAID i chi gadw'r wigs,' mynnodd, a rhoi'r bocs ym mhawennau Clem. 'Roeddech chi'ch dau yn DDIGON o sioe ynddyn nhw.'

Diolchodd Clem a Syr Boblihosan i Goronwy Lens-Dew, chwifio hwyl fawr wrth eu holl ffrindiau newydd a throi am adre.

Y noson honno, pan gyrhaeddodd
Mr a Mrs Sgidiesgleiniog yn ôl o'r
gwaith, roedden nhw'n hynod syn,
nid yn unig o weld gorila anferth
yn cysgu yn eu cegin, ond o weld
ei fod e a Clem yn gwisgo wigs.

'Wyt ti'n meddwl bod Clem
yn gwybod rhywbeth am hyn?'
gofynnodd Mrs Sgidiesgleiniog.

'Paid â bod yn wirion!' atebodd
Mr Sgidiesgleiniog. 'Mae ein
Clem ni wedi bod yn cysgu'n
sownd drwy'r dydd ...'

Ond ROEDD Clem yn gwybod
rhywbeth amdano.

Ac rydyn ni'n gwybod
hefyd, on'd ydyn ni?

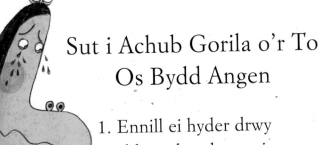

Sut i Achub Gorila o'r To Os Bydd Angen

1. Ennill ei hyder drwy ddweud pethau neis.

RWYT TI'N DDEL IAWN!

2. Ceisio'i ddenu i lawr drwy chwifio banana blasus *neu ddau* o dan ei drwyn.

3. Awgrymu ei fod yn neidio i ddiogelwch y trampolîn handi sy gen ti o dan dy het.

4. Os nad wyt ti'n llwyddo, ffonia'r gwasanaeth tân a/neu oedolyn caredig (os wyt ti'n nabod un!)